Título original: *Butterfly & Caterpillar*
Publicado por primera vez en 1985 por A & C Black (Publishers) Ltd,
35 Bedford Row, Londres WC1R 4JH
© 1985 Barrie Watts

© Ed. Cast.: Edebé 1992
Pº San Juan Bosco, 62
08017 Barcelona

Traductora: Mª Carmen Vilches.

ISBN 84-236-2663-6
Depósito Legal B. 2639-92
Impreso en España
Printed in Spain
EGS - Rosario, 2 - Barcelona

La mariposa
y la oruga

Barrie Watts

edebé

Aquí tenemos una mariposa.

¿Has visto alguna vez una mariposa igual que ésta?
Se llama mariposa blanca de la col y suele vivir en los parques
y jardines.

Hay muchas clases distintas de mariposas.
Todas empiezan siendo pequeños huevos, como éstos.

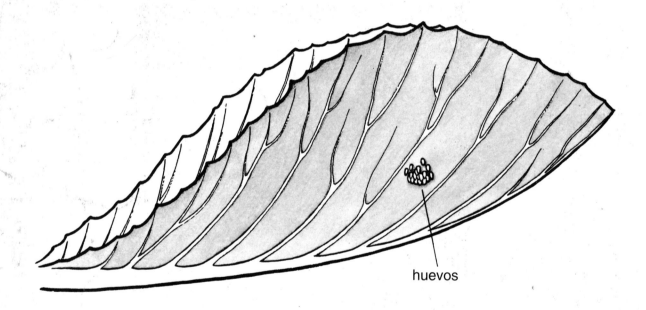

huevos

Este libro te explicará cómo se desarrolla la mariposa a partir
de un huevo.

Aquí tenemos una mariposa macho y una mariposa hembra.

Fíjate en estas dos mariposas.

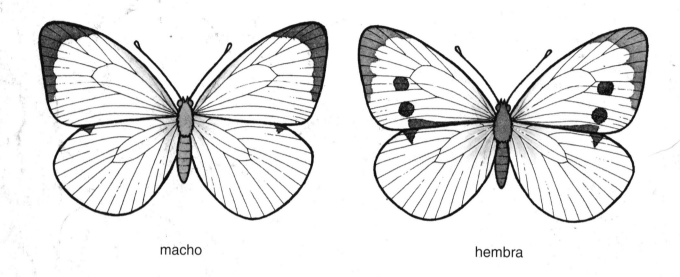

macho   hembra

Observa que cada mariposa tiene dos pares de alas.
La hembra tiene además unas manchas negras en sus alas
delanteras.
El macho no tiene manchas en sus alas delanteras.

Ahora observa la fotografía. La hembra y el macho se están
apareando. Permanecen así durante dòs horas, aproximadamente.
Después, el macho se va y la hembra se prepara para poner sus
huevos.

La mariposa pone sus huevos.

La mariposa busca un lugar adecuado para poner los huevos.

Observa este dibujo.

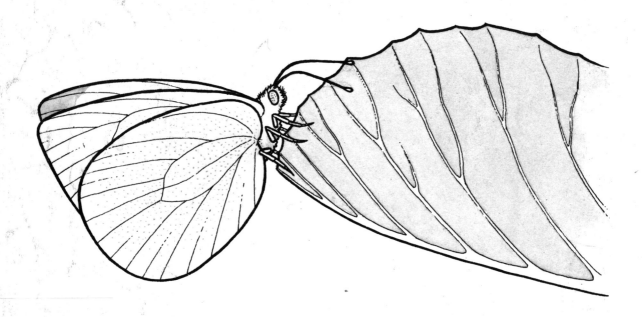

¿Puedes ver las largas antenas que la mariposa tiene en su cabeza? La mariposa utiliza sus antenas para oler las plantas. Pondrá sus huevos en una hoja de col.

Ahora observa la fotografía. La mariposa fija sus huevos amarillentos en el envés de la hoja. Tras haber puesto sus huevos, la mariposa muere.

Las orugas salen de los huevos.

Éstos son los huevos de la mariposa.

Esta fotografía nos muestra los huevos muy aumentados.
En realidad, los huevos tienen el tamaño de la cabeza de un alfiler.

En el interior de cada huevo va creciendo una oruga.
Pasados diez días, los huevos están listos para eclosionar.
Observa la fotografía grande. Cada oruga hace un agujero
en la cubierta de su huevo para poder salir y se arrastra al exterior.
Las orugas están hambrientas. Por eso, se comen las cáscaras vacías.

Las orugas crecen muy deprisa.

Ahora las orugas empiezan a comerse la col. Sólo les gusta comer col.
Observa la fotografía. Esta oruga utiliza sus poderosas mandíbulas para masticar la hoja. No para de comer y crece muy deprisa.

A medida que la oruga va creciendo, la piel se le va quedando más estrecha. Al final, acaba por romperse, como muestra el dibujo.

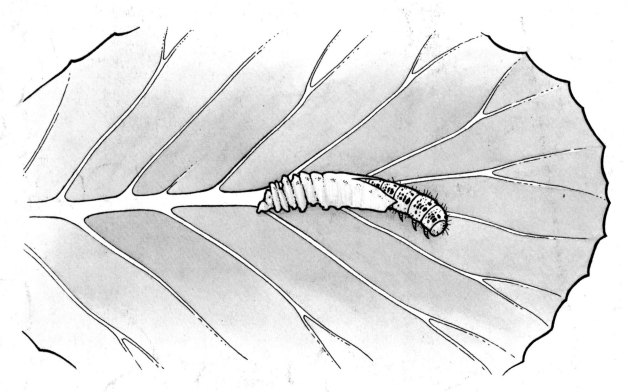

La oruga tiene otra piel por debajo. Cambiará la piel cuatro veces antes de finalizar su crecimiento.

La oruga ya ha terminado de crecer.

Pasadas tres semanas, la oruga ha terminado su etapa de crecimiento.
Fíjate en la fotografía. La oruga tiene un cuerpo peludo.
Está dividido en trece segmentos.

Aquí tenemos el dibujo de una oruga.

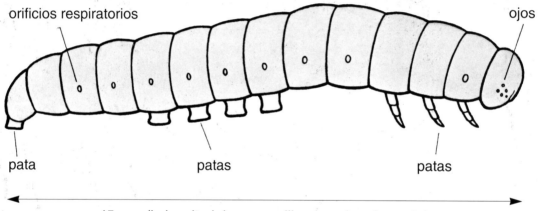

orificios respiratorios

ojos

pata

patas

patas

45 mm (la longitud de una cerilla, aproximadamente)

Los ojos de la oruga son pequeños; por eso, no puede ver muy
bien. Respira a través de unos orificios situados a los lados de su
cuerpo. Observa las patas de la oruga. Utiliza sus pies y sus patas
para agarrarse a las hojas.

La oruga busca un lugar para descansar.

La oruga deja de comer. Se arrastra lejos de la planta de la col
y busca un lugar seguro para descansar.

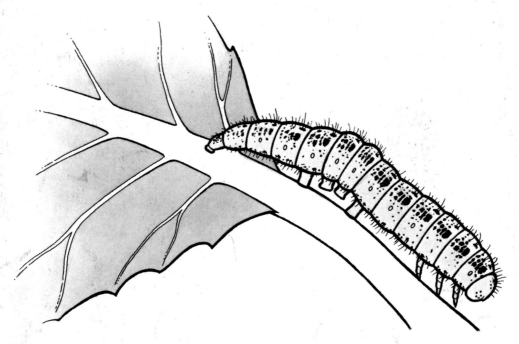

Muy pronto, la oruga empieza a hilar una hebra de seda. La hebra
sale de un orificio que la oruga tiene justo debajo de la boca.

Observa la fotografía. Esta oruga está descansando en una valla.
Se hace una almohadilla de seda para tumbarse encima. Luego
va hilando alrededor de su cuerpo. El hilo de seda sujeta la oruga
a la valla.

La oruga se transforma en crisálida.

Muy pronto, la piel de la oruga empezará a romperse, como muestra esta fotografía.

Observa cómo se cae la piel vieja y la brillante cubierta verde que hay debajo. La oruga se ha transformado en crisálida.

Mira la fotografía grande. La nueva crisálida es aún blanda, pero se endurecerá en unas pocas horas. ¿Ves un fino hilo de seda en la crisálida? Este hilo evita que la crisálida se caiga de su almohadilla de seda.

De la crisálida sale una mariposa.

La crisálida permanece en su capullo de seda durante semanas,
e incluso durante meses. En su interior va creciendo la mariposa.

¿Puedes ver las manchas en las alas de la mariposa dentro
de la crisálida? La mariposa ya está lista para salir.

La mariposa empuja desde el interior, hasta que la cubierta
se rompe. Después, sale lentamente. Sus alas son suaves
y están arrugadas, como un paño mojado.

La mariposa seca sus alas.

La mariposa se encuentra muy cansada. Descansa sobre la cubierta de la crisálida vacía. Muy lentamente, sus alas se despliegan.

Transcurrida una hora, las alas de la mariposa ya han adoptado la forma adecuada. No obstante, aún están blandas y húmedas. La mariposa tendrá que esperar dos horas más para que se sequen sus alas. Entonces estará lista para volar.

La mariposa obtiene su alimento de las flores.

Las flores producen un líquido azucarado llamado néctar.
La mariposa utiliza su larga y ahuecada trompa para absorber
el néctar. Es como beber con una pajita.

Observa la fotografía. ¿Puedes ver la trompa de la mariposa
hurgando en la flor? Cuando la mariposa no está comiendo,
su trompa está enroscada.

Muy pronto, la mariposa se apareará y pondrá los huevos,
como puedes ver en el dibujo.

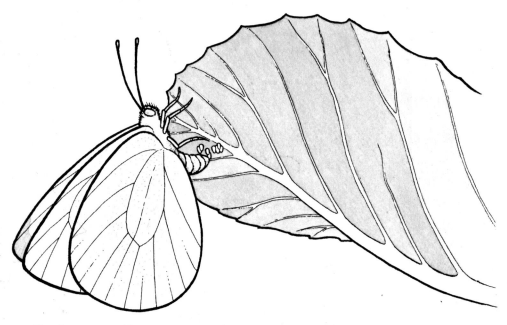

¿Qué crees tú que pasará con los huevos?

¿Recuerdas cómo se forma la mariposa a partir del huevo?
Intenta explicar la historia con tus propias palabras.
Puedes ayudarte con estas fotografías.

Índice

Este índice te ayudará
a encontrar algunas
de las palabras importantes
contenidas en este libro.

Para observar el crecimiento de una oruga, guarda una en un bote grande
con una tapadera agujereada. Pon papel de filtro en el fondo y col para que
la oruga pueda comer. Cambia el papel de filtro y la comida cada día.